CHRISTIAN

# CATASTROPHE AU CAMPING DES ROSES

Illustrations: Palle Schmidt

Christiane Stéfanopoli:
Catastrophe au Camping des Roses
Teen Readers, Niveau 0

Rédacteurs de série :
Ulla Malmmose et Charlotte Bistrup

© Christiane Stéfanopoli, 2004
EASY READERS, Copenhagen
- a subsidiary of Lindhardt og Ringhof Forlag A/S,
an Egmont company.
ISBN Danemark 978-87-23-90405-8
www.easyreader.dk
The CEFR levels stated on the back of the book
are approximate levels.

Imprimé au Danemark par
Sangill Grafisk Produktion, Holme Olstrup

# BIOGRAPHIE DE L'AUTEUR

Je suis née à Nice en 1945. Ensuite j'ai eu la chance de voyager, ce qui m'a donné plusieurs vies : j'ai habité près de Bordeaux (beaucoup de pluie), à Nice (beaucoup de soleil), à Copenhague (printemps et automnes magnifiques), en Australie (trop de soleil) et ... à Copenhague. Qu'est-ce que j'ai fait après l'université? J'ai travaillé comme assistante de recherche, femme au foyer, prof de sciences, traductrice. Aujourd'hui je suis prof de français, rédactrice de livres Easy Readers et... auteur. Qu'est-ce que j'aime faire? Me promener dans la nature, visiter les grandes villes, lire de bons livres et ... travailler. Un petit conseil? Voyagez!

# Samedi matin, 7 heures

Avec ses 14 ans, ses *cheveux* et ses *yeux* couleur de café, Patrick a du succès auprès des filles.

Et ce samedi matin, il est très content. Pourquoi? Parce que c'est le week-end... Parce qu'il est au camping de ses parents... Et parce que là il y a de belles filles, de belles nanas, comme il les appelle. 5

En trois secondes, il met un jean et un T-shirt. Sa mère fait du café dans la cuisine, comme d'habitude. 10
La mère : Bonjour, mon chéri.
Patrick : *Salut*, maman.
La mère : Tiens, voilà du café au lait et du pain.
Patrick : Merci.

Pendant qu'il mange, la météo annonce le temps en France pour le week-end : ... temps variable dans le sud avec risques de *pluie* ou de tempête... 15

cheveux — yeux

pluie

*salut*, bonjour ou au revoir (familier)

# 7 heures 30

Dans la petite boutique du camping, il y a déjà quatre clients. Un Hollandais achète deux *baguettes*, deux Français veulent des *journaux* et une Scandinave achète du *fromage*.

baguette — journal

fromage

5    Sur la porte de la boutique, il y a un tableau noir. Patrick écrit :

MÉTÉO SAMEDI
TEMPS VARIABLE
RISQUE DE PLUIE OU TEMPÊTE
10  VARIABLE WEATHER, HAEVY RAIN

Une voix de fille dit : HEAVY... E...A
Il tourne la tête et voit deux grands yeux bleus ou violets, de longs cheveux blonds, une casquette rouge, un T-shirt blanc et un jean...
15  Il est *paralysé*... Quelle nana!

La fille : Tu parles pas?
Patrick : Euh!...si. Tu es sûre?

  *paralysé, paralysée*, qui ne peut plus bouger

6

La fille : *Ouais*. Dans mon pays, on parle fran-
çais, flamand et anglais.
Patrick : Et ton pays, c'est quoi?
La fille : La Belgique.
Patrick : OK, je te crois. Je suis Patrick et toi? 5
La fille : Moi, je suis Marie et je promène mon
chien Milou... Salut!

Milou! Comme le chien de Tintin! pense
Patrick et il écrit EA, puis il prend son portable pour envoyer un SMS à son meilleur 10
copain Éric (au collège, on les appelle Ic et Ic) :
   J'ai rencontré une SUPER nana. Elle est de Belgique
et elle a un chien qui s'appelle Milou. J'ai pas le temps
de te voir aujourd'hui. À demain? Ic.

## 10 heures

Patrick travaille dans le camping pendant 15
deux heures et demie. Puis, il fait une pause.
Il regarde son portable. Pas de message d'Éric.
Il *dort* encore!
   Patrick prend son nouveau vélo, un VTT,
pour faire le tour du camping. 20

VTT

ouais, oui (familier)
*dort*, 3ème personne présent de dormir

tente

Où est Marie?.... Il va vers la forêt... Non... Il va vers la route nationale... Non... Il va vers la *rivière*...

Là, il voit une casquette rouge et il entend
5 Marie appeler : Milou... Milou...

Patrick : Salut! Tu te promènes encore avec ton chien?

rivière

arbre

Marie : Non, je cherche Milou.
Patrick : Il *part* souvent?
Marie : De temps en temps. Mais il *revient* tou-
jours.
Patrick : Alors pas de problèmes. Monte sur ⁵
mon VTT et on fait le tour du camping.

---

*part*, 3ème personne présent de partir
*revient*, vient à nouveau (venir)

Elle *rit* et monte sur le VTT. Il fait du footing à côté d'elle.

Patrick : Tu viens souvent dans la région?
Marie : Ouais, mes parents aiment beaucoup la
5 région de l'Isère. Ils font des promenades, du footing, du canoë. Et toi, tu fais du sport?
Patrick : Ouais, du football, du ski... et je *fais de l'escalade*... dans les montagnes, dans les *arbres* même.
10 Marie : Et tu habites ici toute l'année?
Patrick : Ouais.
Marie : Tu aimes?
Patrick : L'été, ça va. L'hiver, *bof!*...Tiens, voilà ton chien!
15 Marie : Milou, viens ici!.. Merci pour le VTT. Je vais avec mes parents faire du canoë.
Patrick : Attention! La rivière est dangereuse et la radio a annoncé pluie et tempête!
Marie : Bof! Regarde, il y a du soleil! Salut!
20 Patrick : Tu rentres vers cinq heures? Alors, rendez-vous sur la terrasse au bord de la rivière.
Marie : Peut-être!

Et elle rit.

---

*rit*, 3ème personne présent de rire
*faire de l'escalade*, monter le long de hautes montagnes
*l'arbre*, voir ill. page 9
*bof*, bon (familier)

# 11 heures

Patrick revient en VTT vers la boutique. Cette nana, elle est belle! Elle est sympa! Elle est sportive! Et elle rit!

Il trouve Éric... furieux... sur son scooter.

Éric : Ça fait 45 minutes que j'attends. 5 Qu'est-ce que tu fais?

Patrick rit. C'est trop comique de voir son meilleur copain furieux.

10

Patrick : Eh! Calme-toi! T'as pas regardé ton portable?
Éric : Non, il est chez Sylvie.
Patrick : Écoute, je suis désolé. J'ai pas le temps de te voir aujourd'hui. J'ai rencontré des yeux 15 bleu-violet, de longs cheveux blonds et un rire... un rire...

Il s'arrête. Il n'arrive plus à trouver ses mots. Éric est très intéressé.

Éric : Elle est où cette nana?

Tout à coup, Patrick *a peur* : Éric a beaucoup

*avoir peur*, être effrayé

11

de charme avec ses yeux gris-vert. Éric a un scooter. Éric aime les filles. Et les filles aiment Éric. D'habitude, ça ne fait rien. C'est un jeu. Mais aujourd'hui...

5

Patrick : Elle fait du canoë avec ses parents.
Éric : Bon, salut! À cet après-midi. Une nana comme ça, je dois la voir!

10 Patrick est irrité... Il a rencontré Marie le premier. Et, il ne veut pas qu'Éric rencontre Marie.

## Samedi après-midi, 3 heures

15

Il n'y a plus de soleil, mais de gros *nuages* noirs. Les campeurs contrôlent leurs *tentes* et leurs *caravanes*. Ils regardent le ciel. Hum! Pas 20 bon! Pas bon du tout!
Éric arrive sur son scooter. Patrick est très irrité.

Patrick : Elle n'est pas là!
25 Éric : Au village, on dit qu'il *pleut* beaucoup dans la montagne. Vous avez écouté la radio?

*la tente*, voir ill. page 8-9
*la caravane*, voir ill. page 28
*pleut*, 3ème personne présent de pleuvoir

12

Patrick pense tout de suite à Marie et à ses parents. La rivière est dangereuse. Il a un peu peur pour elle.

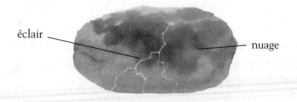

éclair

nuage

Patrick : Viens. Allons voir le niveau de la 5 rivière.

Il monte sur le scooter d'Éric et ils vont lentement vers la rivière.

Le niveau de l'eau est déjà très haut. Trop haut pour un après-midi de septembre. 10

Patrick pense à Marie... et aux campeurs. Il est *anxieux*.

Patrick : Vite. Allons voir mon père.

Devant la boutique, il y a une voiture grise avec un B et un grand canoë sur une *remorque*. 15 C'est la voiture des parents de Marie.

Dans la boutique, le père de Patrick écoute la météo à la radio : ... Alarme... Très grosses pluies sur l'Isère. L'eau de la rivière risque de

*anxieux, anxieuse*, être très nerveux, très inquiet
*la remorque*, permet de transporter des choses lourdes

monter... un mètre environ... Je répète...
Alarme... Faites attention...

Éric n'écoute pas la radio. Il regarde une
casquette rouge *mouillée*, deux grands yeux
5 bleu-violet, de longs cheveux blonds mouillés,
un anorak bleu... Il est paralysé... Quelle nana!
Marie regarde les yeux gris-vert d'Éric.
Marie : Tu parles pas?
Éric : Euh!...si. Tu es mouillée?
10 Marie : Ouais. Il pleut dans ton pays.
Éric : Et dans ton pays, il pleut pas?
Marie : Si.

Et elle rit.

Éric : Je suis Éric, le meilleur copain de
15 Patrick. Tu es Marie?
Marie : Ouais et voici mon chien Milou...

Patrick regarde son copain. Éric semble
paralysé. Patrick est irrité et... jaloux. Comment va-t-il éliminer Éric ?

20 Le père de Patrick se tourne vers les deux
garçons.
Le père : Patrick et Éric, donnez vite un
message à tous les campeurs. Ils doivent venir

*mouillé, mouillée*, quand il pleut, on est mouillé

14

à la boutique car la situation est alarmante.

Les deux garçons montent sur le scooter d'Éric et vont vite d'une tente à l'autre, d'une caravane à l'autre.

Patrick : Hello! We ave a situation alarmante. 5
Situation alarmante! ... Alarming! You ave to go to the shop.

Heureusement, tous les campeurs comprennent le message.

## 4 heures

Pendant que les campeurs sont dans la bou- 10
tique, Patrick et Éric vont en scooter vers la rivière.
L'eau est maintenant *violente*. Elle monte rapidement!
Patrick pense à Marie, à ses yeux bleu-violet, 15
à ses longs cheveux blongs, à son sourire...
Tout à coup, il a une idée. Il *sait* comment éliminer Éric! Ils vont faire une concurrence.
Patrick : Dis, Marie, *elle te plaît?*

*violent, violente*, très fort
*sait*, 3ème personne présent de savoir
*elle te plaît*, synonyme de : tu l'aimes

Éric : Elle est super, cette nana! Elle est pour moi!

Et il rit.

Patrick : Elle me plaît aussi. Alors, on fait une
5 concurrence. On monte dans cet arbre.

Et il montre un arbre énorme.

Éric : Tu es fou!
Patrick : Tu as peur? Le premier qui arrive en haut de l'arbre *gagne et*... a Marie!

10 Éric regarde l'arbre. C'est vrai, il a un peu peur. Mais il pense à la casquette rouge mouillée, aux deux grands yeux bleu-violet, aux longs cheveux blonds mouillés...

Éric : D'accord!

15 Les deux garçons *descendent* du scooter, vont vers l'arbre et commencent à *monter*... Après une dizaine de minutes, Patrick est déjà au milieu de l'arbre. Il est tout heureux.
Éric est encore dans les premières *branches*. Il

*gagner*, dans une concurrence, le meilleur gagne
*descendre*, aller vers le bas
*monter*, aller vers le haut

16

a peur, les branches sont mouillées, c'est diffi-
cile... mais il ne veut pas stopper.

À ce moment-là, la pluie devient très forte, le
vent devient violent. Il y a un *éclair* et boum...
badaboum... boum boum... du tonnerre.       5

Patrick s'arrête. Il sait que c'est dangereux
d'être dans un grand arbre au bord de la rivière
quand il y a des éclairs et du tonnerre.


Patrick : Éric!                              10
Il crie plus fort.
Patrick : Éric!
Éric : Ouais!
Patrick : On s'arrête! Je descends!
Éric : Tu as peur? Alors, j'ai gagné!        15
Patrick : Non, j'ai pas peur et t'as pas gagné.
Mais, c'est dangereux maintenant. On recom-
mence demain.


Quelques minutes plus tard, Patrick est à   20
côté d'Éric. Il voit que son copain est très fati-
gué. Son visage et ses mains sont rouges. Sûr!
Il est toujours sur son scooter et ne fait jamais
de sport!

                                             25
Patrick : Bon, fais attention, les branches sont
mouillées, on va descendre lentement. Je vais
t'aider.

*éclair*, voir ill. page 13

Les deux garçons commencent à descendre lentement. C'est vrai, les branches sont très mouillées. Il y a de nouveaux éclairs et du tonnerre. Tout près, maintenant.

## 5 heures 30

5 Pendant ce temps, les touristes sont dans la boutique du camping. Le père de Patrick demande au père de Marie, qui est belge, de traduire en anglais pour expliquer la situation aux campeurs.

10 Le père de Patrick : Mesdames et messieurs, la situation est alarmante. La radio annonce un orage terrible dans la région de l'Isère.

Le père de Marie traduit.

Le père de Patrick : Nous sommes ici au bord
15 de la rivière et le niveau de l'eau risque de monter rapidement. Peut-être un mètre, peut-être deux!

Le père de Marie traduit.

Le père de Patrick : Alors, pas de panique.
20 Nous avons encore du temps. Allez à vos tentes et vos caravanes et prenez tout ce que

vous pouvez en dix minutes.

Le père de Marie traduit.

Le père de Patrick : J'ai appelé la police. Nous 5
pouvons passer la nuit dans l'école. Alors, voici des plans du village. Et allez tous en voiture
vous installer dans l'école.

Le père de Marie traduit pendant que le père 10
de Patrick donne les plans du village.

Le père de Patrick : D'ailleurs, où sont mon
fils et son copain?
Marie : Ils sont allés vers la rivière. 15

Marie est un peu anxieuse. Elle sait qu'elle
plaît à Patrick et à Éric. Et elle sait que Patrick
est jaloux. Alors, pourquoi ne sont-ils pas à la
réunion? Où sont-ils? Et que font-ils? 20

Le père de Patrick : Vers la rivière! Mais ils
sont fous!

Les campeurs retournent vite à leurs tentes et 25
leurs caravanes. Marie va avec ses parents.
Le père de Patrick prend sa voiture et va
vers la rivière. L'eau a déjà atteint les premières tentes.

Dans l'arbre, Patrick et Éric sont assis sur la première grosse branche et regardent le scooter. Il est presque sous l'eau qui monte avec violence.

5 Éric : *Merde*! Mon scooter! Vite, aide-moi à descendre.

Patrick : Non, impossible. C'est trop dangereux. Regarde l'eau. On est bloqués.

Éric : Si je perds mon scooter, c'est ta faute!
10 Avec ta concurrence idiote!

Patrick : Non, c'est ta faute! Tu veux toujours prendre toutes les nanas!

Éric : Je *m'en fous* de ta nana! Moi, je préfère mon scooter.

15 Et Éric essaie de descendre de la grosse branche.

Le père de Patrick arrive à ce moment-là et voit la situation des deux garçons. Les idiots! Qu'est-ce qu'ils font dans cet arbre!

20 Il regarde l'eau de la rivière. Elle est violente. Elle est très haute. Elle va peut-être emporter le scooter. Mais Éric ne doit pas descendre de l'arbre.

porte-voix

*merde*, juron (familier)
*je m'en fous*, ça m'est égal, je m'en moque

20

Le père de Patrick prend son *porte-voix*.

Il ouvre la porte de sa voiture, fait signe aux deux garçons et crie :

Le père : Restez où vous êtes! Ne bougez pas. L'eau est trop violente. J'appelle les *sapeurs-* 5 *pompiers*.

Il prend son portable et fait le numéro des pompiers.

Voix : Allô, ici les sapeurs-pompiers.
Le père : Allô, bonjour, ici, M. Ménard, le pro- 10 priétaire du Camping des Roses. Nous avons une situation dangereuse. Mon fils et son copain sont dans un arbre au bord de la rivière. Le courant est très violent et ils sont bloqués par l'eau qui monte rapidement. Venez tout de suite. 15
Voix : On arrive.

Le père de Patrick est très inquiet. La situation est critique.

Le père : Les pompiers arrivent. Restez où vous êtes.

20

Puis il téléphone aussi aux parents d'Éric.

---

*le sapeur-pompier*, professionnel qui aide d'autres personnes en cas d'accident

voiture des
pompiers

corde

branche

# Samedi soir, 6 heures

Quelques minutes plus tard, on entend la *voiture des pompiers*. Pin-pon, pin-pon...

Les pompiers prennent une longue *corde* et la lancent vers l'arbre. Patrick l'attache bien à la grosse branche.

5

Patrick : Éric, vas-y. C'est comme à la *gym*. Tiens bien la corde avec tes *mains* et tes *pieds*.

main — — pied

Il aide son copain... Et Éric arrive sans problèmes à côté de la voiture de pompiers.

Patrick commence, lui ausssi, à glisser le long de la corde. À cet instant, il y a un grand éclair, un bruit terrible et le haut de l'arbre tombe dans la rivière. Sous le choc, Patrick tombe à l'eau.

10

Éric crie : Patrick! Patrick!

15

Un pompier se jette à l'eau, attrape Patrick par le bras et le tire vers la voiture.

| *la gym*, la gymnastique

Le père : Grand idiot! On parle de tout ça demain. On va chercher ta mère, on raccompagne Éric et ensuite on va à l'école.

Éric : Et mon scooter?

5 Le père : Regarde! Il est là-bas, près du petit arbre. C'est trop dangereux maintenant. On revient voir demain.

Pendant ce temps, les touristes s'installent dans l'école. Les policiers apportent des *lits de camp* et des *sacs de couchage.*

10 Le *boulanger* et l'*épicier* apportent du pain, du jambon, du fromage et du lait pour les enfants.

lit de camp

sac de couchage

Marie pense à Patrick et à Éric. Elle est très inquiète.

15 Sa mère voit qu'elle est nerveuse.

La mère : Marie, ne sois pas nerveuse. Tu vas revoir tes copains! Aide-nous plutôt. Prends Milou et fais jouer les enfants.

*le boulanger, la boulangère,* fabriquent et vendent du pain
*l'épicier, l'épicière,* vendent des légumes, des fruits, de la charcuterie, des fromages, du vin...

24

Marie regarde les enfants. C'est vrai, ils sont nerveux eux aussi.

Alors, elle prend Milou dans ses bras et un paquet de *bonbons*. Puis elle s'installe au milieu de la salle et commence à jouer avec Milou. 5 Les enfants la regardent et viennent. Ils ont tous envie de jouer avec le chien et de manger un bonbon...

## 7 heures

Tout à coup, elle entend une voiture. Voilà Patrick et ses parents! Elle va vite à la porte de 10 l'école.

Quand Patrick sort de la voiture, il voit deux grands yeux bleu-violet, de longs cheveux blonds, une casquette rouge, un T-shirt blanc et un jean. 15

Patrick : Salut, tu vas bien?

Marie a un petit sourire. Elle regarde Patrick, ses cheveux et ses yeux couleur de café. Il est quand même *sympa*. Plus sympa qu'Éric.

Marie : Ouais et toi? Qu'est-ce que tu as fait? 20

*le bonbon*, quelque chose de sucré et coloré que les enfants aiment manger
*sympa*, sympathique

Patrick : Bof! J'étais dans un arbre avec Éric. Pour une petite concurrence.

Marie : Ah, oui! Et qui a gagné?

Patrick : Personne. Mais c'était bon pour lui. Il
5 ne fait jamais de sport.

Et ils rient tous les deux.

Pendant ce temps, les parents de Patrick parlent avec les campeurs. Certains sont calmes, d'autres sont nerveux.

## 8 heures

Le père de Patrick met la télé pour entendre la météo : ... Très grosses pluies sur toute la
10 région de l'Isère... Le niveau de la rivière est monté de trois mètres... Il monte encore... Tous les campings au bord de la rivière sont sous l'eau... La situation est catastrophique... Nous demandons à la population de **ne pas**
15 **sortir**... Je répète : **ne pas sortir**!

Les campeurs inquiets sont autour de la télé. On voit l'Isère, l'eau qui monte sur les ponts, dans les rues, les voitures *abandonnées*... La police, les pompiers, les reporters...
20 Ils commentent les événements :

*sortir*, aller dehors dans la rue, dans la ville, dans la campagne
*abandonné*, *abandonnée*, vide, sans personne

C'est terrible!
Quelle *cata*!
C'est comme en 1987!
Et notre caravane?
Et notre tente? [5]

Marie et Patrick sont assis dans un coin de la salle. Ils parlent et rient. Ils semblent heureux.

## Dimanche matin, 7 heures

Il ne pleut plus et le soleil brille.

Les parents de Patrick prennent le petit déjeuner avec les campeurs et écoutent la météo : Le niveau de l'Isère descend... Aujour- [10] d'hui : soleil et 25°C.

On entend des BRAVOS et des HOUR-RAHS dans la salle.

Un peu plus tard, M. et Mme Ménard partent les premiers pour le camping. Les rues [15] sont encore mouillées, mais le niveau de la rivière est presque normal.

Au Camping des Roses, c'est la catastrophe au bord de la rivière : tentes *tombées*, cara-vanes *renversées*, objets ici et là... Quel travail! [20]

M. Ménard prend son portable et appelle

*la cata*, la catastrophe
*tombé, tombée*, voir ill. page 28
*renversé, renversée*, voir ill. page 28

caravane renversée

tente tombée

Patrick.
Le père : Allô, Patrick?
Patrick : Oui, papa. Alors?
Le père : Venez maintenant. Au *boulot*. On a
5 beaucoup à faire.
Patrick : D'accord. On arrive.

## 9 heures

Les campeurs travaillent. Ils trouvent leurs
tentes, remettent les caravanes en place, cher-
chent leurs objets.

*le boulot*, le travail

28

Les parents de Patrick vont et viennent, nettoient la boutique, le *bloc des douches* et des toilettes, le chemin qui descend à la rivière.

bloc des douches

Marie se promène avec Milou et quelques enfants. <sub></sub> 5
Patrick appelle Éric chez ses parents.

Patrick : Salut! Alors, tu viens chercher ton scooter?
Éric : Bien sûr! Ça va? 10
Patrick : Ouais! Et avec ton père, ça va?
Éric : Il était *fou furieux* hier!
Patrick : Le mien aussi.
Éric : Bon salut, j'arrive sur mon vieux vélo.

Un quart d'heure plus tard, Éric arrive au Camping des Roses. Patrick l'attend à l'entrée. 15
Patrick : Alors, on est copains?
Éric : Ouais, les meilleurs copains du monde!

| *fou furieux*, très en colère

Et ta nana, elle est où?

Patrick : Elle promène son chien et les enfants du camping.

Éric : Elle te plaît beaucoup?

5 Patrick : Ouais, assez.

Éric : Alors, je suis super sympa. Je te la laisse.

Patrick : Tu ne veux plus monter dans l'arbre?

Éric : Non. Mais je veux mon scooter!

Patrick : Attends! Mon père va venir avec
10 nous. Il prend aussi une remorque.

Ils partent tous les trois dans la voiture du père de Patrick et descendent vers la rivière.

Éric : Merde! Il est où?

Ils regardent autour du petit arbre. Pas de
15 scooter! Le sol est très mouillé et gris-marron, comme la terre. Le père de Patrick met des *bottes* et va regarder un peu plus loin le long de la rivière.

Le père : Voila! Je le vois! Venez m'aider!

20 Les deux garçons vont vite voir... Le beau scooter est lui aussi gris-marron! Éric pleure presque.

---

*la botte*, grande chaussure qui monte jusqu'au genou

Le père : Bon, on va le mettre sur la remorque et ensuite je l'amène chez le garagiste. À mon avis, ce n'est pas trop grave. Il faut le laver et faire contrôler le moteur.
Éric : Merci, M. Ménard!
Le père : Par contre, vous allez aider les campeurs.

Les deux garçons montent vers le camping. En chemin, ils rencontrent Marie.

Patrick : Tu restes encore longtemps?
Marie : Non, nous allons partir.
Patrick : Tu reviens l'année prochaine?

Les yeux couleur de café rencontrent les deux grands yeux bleu-violet. Marie fait un grand sourire, regarde d'abord Patrick, puis Éric.

Marie : Peut-être...

Et ils rient tous les trois.

# Questions

**Samedi matin, 7 heures**
Patrick est blond ou brun?_____

_____

Où est-il?_____

_____

Pourquoi est-il content?_____

_____

Il a quels vêtements?_____

_____

Qui prépare le petit déjeuner?_____

_____

Que dit la météo?_____

_____


**7 heures 30**
Qui est dans la boutique?_____

_____

Qu'est ce que Patrick écrit sur le tableau noir?

_____

Comment est la fille?_____

_____

Quelle est la réaction de Patrick?_____

_____

La fille est française?_____

_____

Quelle est le prénom de la fille?_____

Et le chien? Quel est son nom?_____

Patrick envoie un SMS à qui?_____

Et pourquoi?_____

## 10 heures

Patrick a un scooter?_____

Décris l'illustration page 8-9 _____

Patrick est un touriste aussi?_____

Patrick fait du sport?_____

Et Marie fait du sport aussi?_____

## 11 heures

Éric a un VTT lui aussi?_____

Il est furieux. Pourquoi? _____

Éric est intéressé par Marie. Pourquoi? _____

Où est Marie? _____

Quelle est la réaction de Patrick?

_____

**Samedi après-midi, 3 heures**
Il y a du soleil? _____

Il fait beau temps dans la montagne?

La météo annonce quoi? _____

Quelle est la réaction d'Éric quand il voit
Marie? _____

Et quelle est la réaction de Patrick?

Les deux garçons parlent avec les campeurs.
Pourquoi? _____

_____

**4 heures**
Patrick a une idée. Quelle idée? _____

Éric accepte la concurrence. Pourquoi?

Est-ce que Patrick monte vite dans l'arbre?

Et Éric? _____

Il y a un éclair et du tonnerre. Que fait Patrick?

_____

_____

**5 heures 30**
Où sont les touristes?_____

_____

Que dit le père de Patrick?_____

_____

Il parle en anglais?_____

_____

Où peuvent-ils passer la nuit?_____

_____

Le père de Patrick va au bord de la rivière. Que fait-il quand il voit la situation des deux garçons?_____

_____

_____

**Samedi soir, 6 heures**
Décris l'illustration._____

_____

_____

_____

Décris la situation dans l'école. _____

_____

_____

_____

_____

**7 heures**

Marie préfère Patrick ou Éric?_____

**8 heures**

Quel est le message de la météo?_____

_____

Quelle est la situation à la télé?_____

_____

**Dimanche matin, 7 heures**

Décris le camping._____

_____

_____

_____

**9 heures**

Que font Éric, Patrick et son père?_____

_____

Comment se termine l'histoire?_____

_____

_____

_____

_____

_____

_____

_____

_____

_____

# Activités

1. Peux-tu dire les chiffres suivants?
   24, 84, 35, 15, 75, 95, 44, 17, 77, 13, 33

2. Décris ton meilleur copain/ta meilleure copine.

3. Mets les verbes au présent :
   avoir : Il _____ peur.
   être : Je _____ fou.
   manger : Tu _____ du fromage.
   parler : Ils _____ anglais.

4. Travail de groupe :
   Vous allez en vacances dans un camping. Faites une illustration du camping et écrivez une histoire.

5. Trouve les différentes nationalités :
   Scandinavie : un _____ et une

   _____

   Angleterre : un _____ et une

   _____

   France : un _____ et une

   _____

Belgique : un _____ et une

_____

Hollande : un _____ et une

_____

Connais-tu d'autres nationalités :
Espagne? _____
Italie? _____
Allemagne? _____
Danemark? _____
Suède? _____

6. Travail de groupe : la nourriture et les boissons.
Trouvez tous les mots sur la nourriture ou
les boissons :

_____

_____

_____

_____

_____

Connaissez-vous d'autres mots?

_____

_____

_____

_____

_____

7. Mets au pluriel les phrases suivantes :
Elle fait du canoë
Elles _____

Il est très content
Ils _____

Il s'arrête
Ils _____

Un Hollandais achète
Des _____

J'appelle les sapeurs-pompiers
Nous _____

Tu vas revoir tes copains
Vous _____

J'arrive
Nous _____

8. Concurrence entre groupes de 2 ou 3 personnes.
Faites des groupes de 2 ou 3 personnes et trouvez dix verbes français à l'infinitif. Le premier groupe qui a terminé arrête les autres. Le groupe qui a le plus grand nombre de verbes corrects a gagné.

9. Question générale :
   Quels sont les moyens de transport trouvés
   dans le texte?

   _____

   _____

   _____

   _____

   _____

   Connais-tu d'autres moyens de transport?

   _____

   _____

   _____

   _____

   _____


Trouvez d'autres activitiés sur
www.easyreader.dk